C'EST MOI
LE PLUS BEAU

«Les hommes se distinguent par ce qu'ils montrent et se ressemblent par ce qu'ils cachent.»

Paul Valéry

Pour Tania Ramos

ISBN 978-2-211-08993-7
Première édition dans la collection « lutin poche » : octobre 2007

Loi numéro 49 956 du 16 juillet 1949 sur les publications destinées à la jeunesse : septembre 2006
Dépôt légal : juillet 2017
Imprimé en France par Clerc SAS à Saint-Amand-Montrond

Mario Ramos

C'EST MOI LE PLUS BEAU

Pastel
les lutins de l'école des loisirs
11, rue de Sèvres, Paris 6e

Après un délicieux petit-déjeuner, l'incorrigible loup enfile son plus beau vêtement. «Hum! Ravissant! Je vais faire un petit tour pour que tout le monde puisse m'admirer!» dit le loup.

Il croise le Petit Chaperon rouge.
«Oh! Quel délicieux petit costume!
Dis-moi, petite fraise des bois,
qui est le plus beau?» demande le loup.

«Le plus beau… c'est vous, Maître Loup!»
répond le Petit Chaperon.

«Et voilà! La vérité
sort de la bouche des enfants.
C'est moi le plus élégant,
c'est moi le plus charmant»,
fanfaronne le loup.

Il rencontre alors les trois petits cochons.
«Hé! Les petits lardons! Encore à gambader dans les bois pour perdre du poids!
Dites-moi, les petits boursouflés, qui est le plus beau?» lance le loup.

«Oh! C'est vous... Vous êtes merveilleux, vous brillez de mille feux!» répondent les petits en tremblotant.

«Hé! Hé! Je brille et j'éblouis.
Je resplendis et je rayonne.
J'illumine les bois de ma personne.
Je suis une pure merveille»,
jubile le loup.

Il rencontre ensuite les sept nains. «Hou! Votre mine est épouvantable, les gars! Faudrait penser à vous reposer. Bon. Savez-vous qui est le plus beau?» interroge le loup.

«Le plus beau... c'est... c'est vous, grand loup!» disent les petits hommes.

«Tadi, tirladada !
C'est moi la vedette de ces bois»,
chantonne le loup.
«Ha ! Ha ! Je suis en super-forme,
moi, aujourd'hui !»

Puis il croise Blanche-Neige.
«Hou là là ! Que vous êtes pâlichonne !
Vous avez l'air malade, ma pauvre fille !
Faudrait vous soigner.
Enfin... Regardez bien et dites-moi :
qui est le plus beau ?»

«Mais... heu... c'est vous»,
répond la petite.

«Hou ! Hou ! Mais oui, bien sûr !
Bonne réponse, bravo mon enfant !
C'est moi le roi de ces bois.
Tous les regards sont braqués sur moi.
Merci, merci, cher public !» hurle le loup.

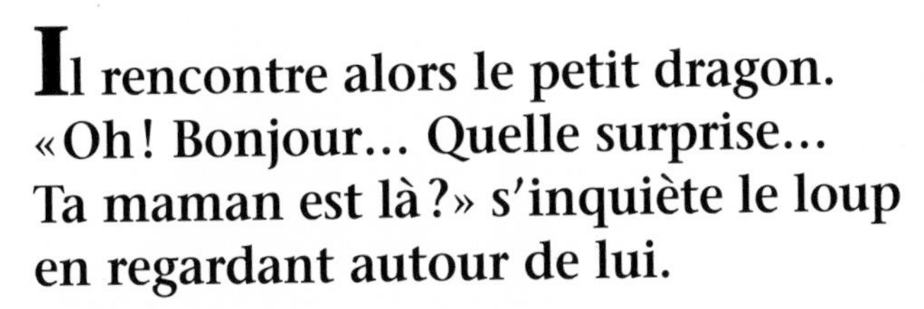

Il rencontre alors le petit dragon.
«Oh! Bonjour... Quelle surprise...
Ta maman est là?» s'inquiète le loup
en regardant autour de lui.

«Non, non! Mes parents
sont à la maison», répond le petit.

«Ha, ha! Parfait, parfait!»
reprend le loup rassuré.
«Dis-moi, ridicule petit cornichon,
qui est le plus beau?»

«Le plus beau, c'est mon papa
et c'est lui qui m'a appris
à cracher du feu!»